FLUIDE GLACIAL

© **Édika – Fluide Glacial 2013**
Éditions Audie-Fluide Glacial
87 quai Panhard et Levassor, 75647 Paris cedex 13
Dépôt légal octobre 2013. Première édition.
Imprimé et relié par EDELVIVES, Espagne.
Diffusion France et étranger : Flammarion.
**www.fluideglacial.com**

métier clochard

SALOPE DÉGUEULASSE
PÉTASSE
POUFIASSE
PIN-UP DE
MÉTRO

CHARMOUTA*

AH OUI ET ALORS LÀ J'AI TROUVÉ UNE DE CES CHUTES HA-HA-HA JE VAIS TE ME LES

DRI DRIiiiiNG

BONJOUR MONSIEUR JE SUIS SÛR QUE VOUS ÊTES IMPATIENT DE POSER DES PANNEAUX SOLAIRES SUR LE TOIT DE VOTRE MAISON

AH MAIS PAS DU TOUT MONSIEUR JE

SI SI VOUS ÊTES IMPATIENT JE LE SAIS JE LE SENS, ALORS VOILÀ CE QUE JE VOUS PROPOSE

MAIS J'EN AI RIEN À FOUTRE MONSIEUR DE VOS PANNEAUX SOLAIRES

SI SI JE LE SAIS JE LE SENS

MAIS IL M'A FAIT PERDRE DU TEMPS CET ABRUTI

KLING

OÙ EN ÉTAIS-JE ? AH OUI MA CHUTE MA CHUTE C'ÉTAIT QUOI DÉJÀ?

OUYOUYOUY - OUYOUYOUY JE L'AVAIS SUR LE BOUT DE LA LANGUE, ATTENDS ATTENDS DONC À CE MOMENT... MERDE QU'EST-CE QUI DEVAIT SE PASSER À CE MOMENT ?

*TAMBOUR LIBANAIS

3

BOUHOURGL

TING

ZEINAB TU VAS ME DESSINER ICI UN TRAIT D'ESPRIT POUR LA CHUTE DE MON HISTOIRE

UN TWAIT D'ESPWIT? MAIS JE NE DESSINE PAS TEWWIBLE TEWWIBLE MONSIEUR

PAS GRAVE DESSINE N'IMPORTE QUOI

N'IMPOWTE QUOI?

N'IMPORTE QUOI

BONJOUR PATRON JE VOUS APPORTE MES PLANCHES

AAAH COOL VOYONS?

MAIS JE SUIS EN BASKETS ÇA NE RISQUE PAS DE SALIR LE JACUZZI?

MAIS PAS DU TOUT VOYONS APPROCHE APPROCHE

FIN

MAIS QU'EST-CE QU'ELLE FOUT ÇA FAIT DEUX HEURES QUE J'ATTENDS, ON VA RATER LE DÉBUT DE LA TRAVIATA ILS NE RIGOLENT PAS À L'OPÉRA BASTILLE, SI ON A 5 SECONDES DE RETARD À L'ARRIVÉE LES PORTES SONT FERMÉES

BEN ALORS QUOI LÉA QU'ESS-TU FOUS? T'AS OUBLIÉ NOTRE RENCARD OU QUOI?

ON AVAIT DIT 14 H. JE TE DONNE ENCORE 3 MINUTES APRÈS ÇA JE ME CASSE POUR QUI TU ME PRENDS J'AI AUTRE CHOSE À FOUT' QUE PERDRE MON TEMPS AVEC UNE POSEUSE DE LAPINS

LA POSEUSE DE LAPINS TE DIT : "JE N'AI RIEN À FOUTRE DE SORTIR AVEC UN MINABLE DONT LE PÈRE N'EST MÊME PAS CAP DE TERMINER SES B.D. DES ANNÉES 70 DE MERDE TOUT EST FINIS ENTRE NOUS PAUV' CON"

PAPA ON PEUT SE PARLER D'HOMME À HOMME ?

BIEN SÛR FISTON

EUH...JE...C'EST... C'EST PAS FACILE À DIRE MAIS TA DERNIÈRE HISTOIRE HUMORISTIQUE M'A FAIT PERDRE 2 BILLETS D'OPÉRA, 15 LITRES DE GAZOLE, 19 EUROS DE PÉAGE, 2 TICKETS RESTO 2 ENTRÉES EN BOÎTE DE NUIT "LE WAGG", MA COPINE LÉA ET 14 EUROS DE BONBONS-GOMMES AU COCA

NE TERGIVERSONS PAS ÇA NOUS FAIT COMBIEN AU TOTAL ?

ÉDIKA

8

# CAROLINE

MATERNITÉ

LA CHAMBRE DE MADAME MERCIER S'IL VOUS PLAÎT

VOUS ÊTES SES PARENTS ?

OUI, ENFIN SES BEAUX-PARENTS

AH ELLE N'EST PAS DANS SA CHAMBRE POUR L'INSTANT, ELLE FAIT SA PRISE DE SANG JOURNALIÈRE, ELLE EN A POUR DIX MINUTES, INSTALLEZ-VOUS DANS LA SALLE D'ATTENTE, DÈS QU'ELLE ARRIVE JE VOUS APPELLE

MA...

ON PEUT VOIR LE BÉBÉ PENDANT CE TEMPS ?

BIEN SÛR, LA NURSERIE EST AU 2ème ÉTAGE, JUSTE EN FACE DE L'ASCENSEUR

AH, MERCI BIENNN

À VOTRE SERVICE MADAME

LA V'LÀÀÀÀ

WAAAH

QU'EST-CE QU'ELLE EST MIGNOOONE, TOUT À FAIT NOTRE FILS QUAND IL ÉTAIT BÉBÉ

ELLE DORT ?

OH, À PEINE

CAROLIIIIINE ÉPITI-PITI-PITI GUILI-GUILI GUILOUUUU

YOUHOUUU ÉÉÉÉ BILOU BILOU BILOUUU

HA-HA HA-HA HA

C'EST POUR QUI LE JOLI HOCHET ? REGARDE CAROLINE LE JOLI HOCHET QUE MAMI TIENT DANS LA MAINNN

BELBII BLEBA BLI-BLA-BLEB

9

VOUS AVEZ UN PROBLÈME ?

QUI MOI ? AH NON PAS DU TOUT

AUCUN PROBLÈME

COMMENT ÇA AUCUN PROBLÈME ? IL ME SEMBLE QUAND MÊME QUE VOUS ÊTES QUELQU'UN DE TRÈS AGITÉ

TRÈS AGITÉ ? MOI ? MOI TRÈS AGITÉ ?

T'ENTENDS ÇA GERTRONDE ? IL PARAÎT QUE JE SUIS QUELQU'UN DE TRÈS AGITÉ

MAIS PAS DU TOUT MADAME, JE L'AI CONNU BEAUCOUP MOINS CALME DANS SES PÉRIODES D'AGITATIONS PAISIBLES QUE PAR RAPPORT À SES PÉRIODES D'IMMOBILITÉS À MOUVEMENTS VARIABLES SAUF QUAND C'EST LE CONTRAIRE

EH BEN VOUS VOYEZ ? QU'EST-CE QUE JE VOUS DISAIS ? IL N'Y A PAS PLUS COOL QUE MOI DANS LA VIE

PEINARD

POURTANT JE N'AI PAS EU LA BERLUE, TOUT À L'HEURE, VOUS ÉTIEZ TOUT DE MÊME EN TRAIN DE FAIRE LE GUIGNOL

LE GUIGNOL ? MOI ?

MOI J'ÉTAIS EN TRAIN DE FAIRE LE GUIGNOL ?

NON MAIS FRANCHEMENT EST-CE QUE J'AI UNE TÊTE À FAIRE LE GUIGNOL MOI ?

AH OUI TOUT À FAIT

4

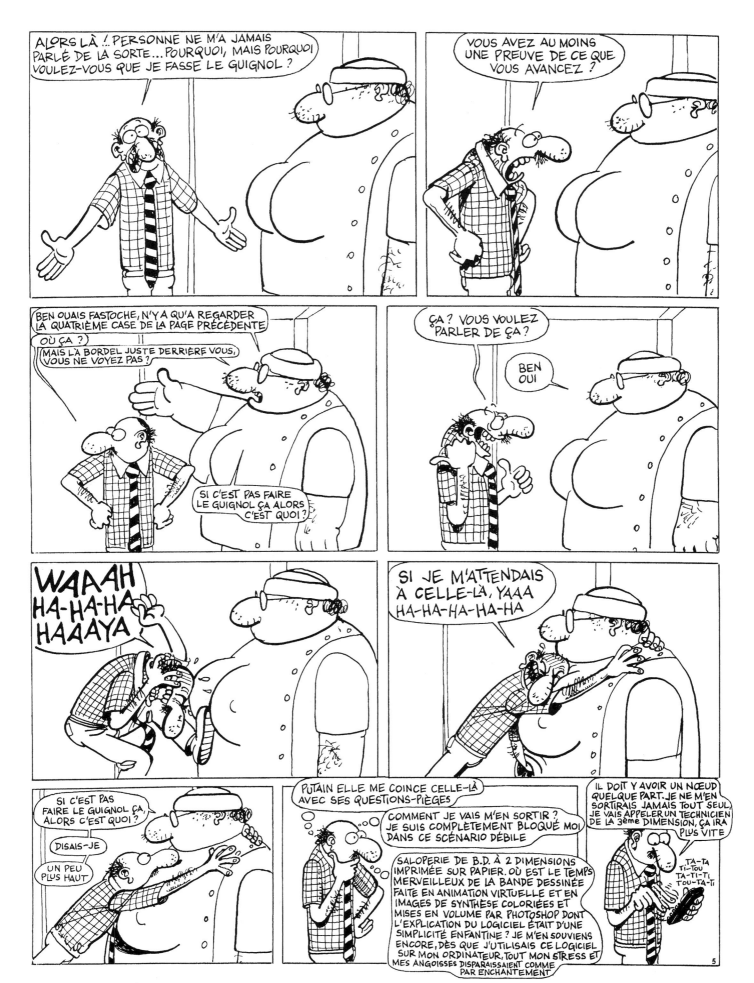

13

ET VOILÀ, QUAND LA DÉPROGRAMMATION SERA CHARGÉE AU BOUT DE 20 MINUTES, VOUS RECLIQUEZ SUR OKAY ET LE TOUR EST JOUÉ AU-REVOIR MONSIEUR

AU REVOIR ET MERCI ENCORE

À VOTRE SERVICE MONSIEUR

AH, ÇA Y EST, LA DÉPROGRAMMATION EST TERMINÉE, JE PEUX CLIQUER SUR ANNULER

WAM

QU'EST-CE QUE..? MEEERDE, IL EST NUL CE TECHNICIEN, FAUDRAIT QUE JE SONGE À CHANGER MON SITE WEB

J'EN AI MAWWE À LA FIN D'ASPIWER TOUTE LA JOUWNÉE, J'ASPIWE PAW-CI, J'ASPIWE PAW-LÀ, ET MOI QUI ME FIGUWAIT QU'EN VENANT EN FWANCE J'AUWAIS PU DEVENIW UNE GWANDE DANSEUSE DE CLAQUETTES AUX FOLIES BEWGÈWES DU MOULIN WOUGE COMME FWED ASTAIWE OU GAWY COOPEW, EH BEN NON.

ÇA M'ÉNEWVE BOWDEL

J'AI MÊME ÉTÉ VOIW UN MAWABOUT DANS MON VILLAGE D'AFWIQUE MON BON MISSIÉ, IL M'A WÉVÉLÉ UNE CHOSE INCWOYABLE QUI A COMPLÈTEMENT CHANGÉ LE COUWS DE MA VIE TEWWESTWE. SAIS-TU CE QU'IL M'A WÉVÉLÉ ?

EUH...NON, FRANCHEMENT JE NE VOIS PAS

16

FIN DU
1er ÉPISODE

(À SUIVRE dans "TRICOTS & CANEVAS)
ACCORD PARENTAL SOUHAITÉ

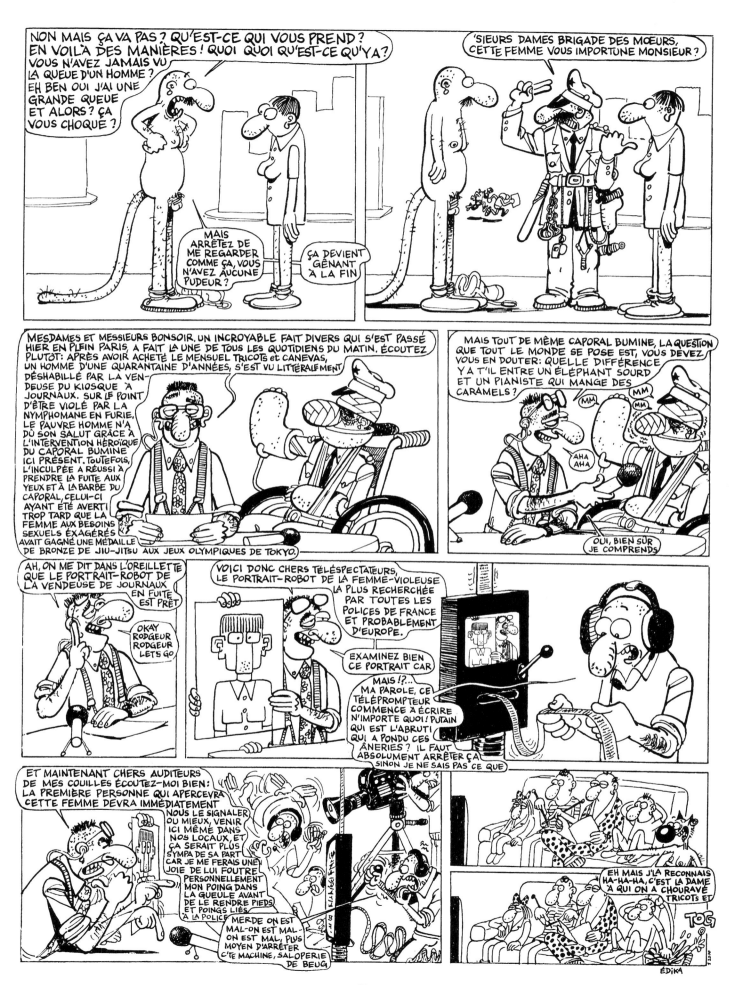

# RENDEZ-VOUS D'AMOUR

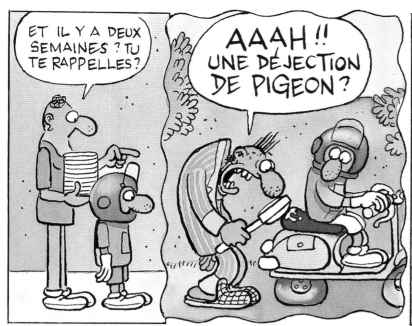

ET IL Y A DEUX SEMAINES ? TU TE RAPPELLES ?

AAAH !! UNE DÉJECTION DE PIGEON ?

OUWi-OUWi-OUWi-OU

BRONSKY C'EST MOI OLGA

OUAiiiS D'ACCORD M'MAN J'COMPRENDS MAIS QU'EST-CE TU VEUX QU'EUJ'TE DISE ? C'EST TOUT DE MÊME PAS DE MA FAUTE SI LES PIGEONS CHIENT N'IMPORTE OÙ

OH ET PUIS P'PA N'EST RESTÉ QUE 10 MINUTES À L'HOSTO C'ÉTAIT PAS SI GRAVE APRÈS TOUT

AH OUAIS ? TU AS OUBLIÉ LA FOIS OU J'AI REMARQUÉ UNE LÉGÈRE USURE DU CAOUTCHOUC DU PNEU ARRIÈRE À CAUSE D'UNE MOUCHE VERTE ÉCRASÉE DONT LES ŒUFS EXPLOSÉS SE SONT DISSÉMINÉS LE LONG DES BANDES DE ROULEMENT ET AINSI ÉPARPILLÉS DANS LA JANTE ET ENTRE LES BOULONS ?

AAAH !

UNE LÉGÈRE USURE DU CAOUTCHOUC DU PNEU ARRIÈRE À CAUSE D'UNE MOUCHE VERTE ÉCRASÉE DONT LES ŒUFS EXPLOSÉS SE SONT DISSÉMINÉS LE LONG DES BANDES DE ROULEMENT ET AINSI ÉPARPILLÉS DANS LA JANTE ET ENTRE LES BOULONS ?!

PINCES

2

MAIS ENFIN P'PA T'ES JAMAIS TOMBÉ AMOUREUX ? HEIN ? TU IGNORES CE QUE LES YEUX LANGOUREUX D'UNE ENIPOC PEUVENT PROVOQUER COMME RAVAGES DANS LES SYNAPSES DES NEURONES ?

PAS QU'ÇA À FOUTRE

TIENS

C'EST QUOI ?

UNE PETITE VIDÉO QUE J'AI TOURNÉE QUAND J'AI INVITÉ LES COPAINS DE MA CLASSE POUR FÊTER MES 12 ANS À LA MAISON

DOUM DOUM DOUM DOUM DOUM

ÉDIKA

# QUE SONT DEVENUS LES PROFS D'ANTAN ?

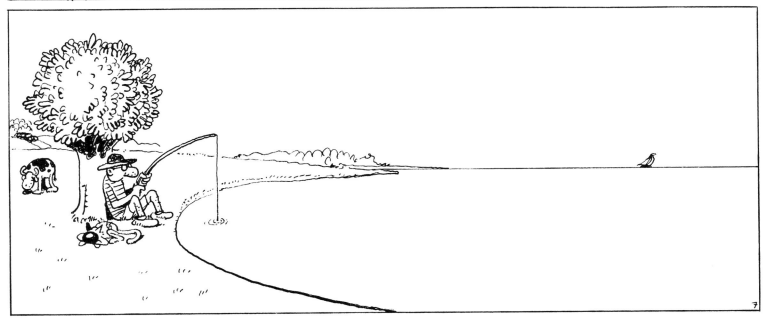

ÉDIKA PUIS-JE SAVOIR QU'EST-CE QUE C'EST QUE CETTE TRANSITION STUPIDE AU BAS DE LA PAGE PRÉCÉDENTE ET N'AYANT RIEN À VOIR AVEC LE RESTE DE L'HISTOIRE ?

J'ESPÈRE QUE VOUS ÊTES CONSCIENT DE LA FRUSTRATION QUE ÇA POURRAIT PROVOQUER CHEZ CERTAINS LECTEURS, SURTOUT QUE CE N'EST PAS LA PREMIÈRE FOIS QUE VOUS ME FAITES LE COUP DU YAPADCHUTE

MAiiiS TOUT LE MONDE S'EN FOUT MEC, DEPUIS LA STARAC ET L'ÉMANCIPATION DE LA CHINE TOUT LE MONDE S'EN FOUT

MAIS JE N'EN AI RIEN À FOUTRE MOI DE L'ÉMANCIPATION DE LA CHINE, QU'EST-CE QUE JE VAIS LEUR DIRE MOI AUX ACTIONNAIRES HEIN ? QU'EST-CE QUE JE VAIS LEUR DIRE ?

ÇA FAIT DES MOIS QU'ILS ME POMPENT L'AIR AVEC LEURS QUESTIONS À LA CON !

ET GNAGNANI ET GNAGNANA ET QUI VA PAYER CI ET QUI VA PAYER ÇA

JE NE PEUX PLUS LES VOIR VOUS ENTENDEZ ? JE NE PEUX PLUS LES VOIR, ILS SONT COMME DES VAUTOURS AUTOUR DE MOI ATTENDANT LEURS CHIFFRES D'AFFAIRES ET LEURS DIVIDENDES À 18% D'INTÉRÊTS BRUTS

OUI MAIS LA STARAC

MAIS FOUTEZ-MOI LA PAIX AVEC LA STARAC BORDEL, UN PEU DE SÉRIEUX VOYONS, VOUS POURRIEZ AU MOINS ME DESSINER UN PEU MIEUX SUR CETTE PAGE, JE N'AI PAS UN SI GROS PIF QUE ÇA APRÈS TOUT

8

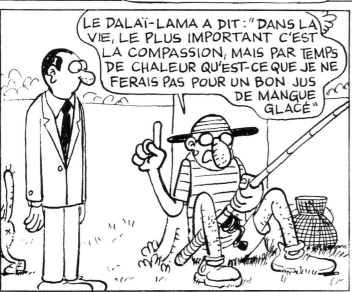

ÉDiKA

# INDIGESTION EN VOL

BROAAAOM

CAFÉ ?
ICE-TEA ?
JUS DE TOMATE ?

WOPPUTAIN PLUS JAMAIS DES LASAGNES AUX AUBERGINES DURANT LE VOL, ÇA GARGOUILLE GRAVE LÀ-D'DANS

MERDE MERDE ÇA EMPIRE JE NE TIENS PLUS IL FAUT QUE JE

EXCUSEZ-MOI MADAME ?

OUI MONSIEUR QUE PUIS-JE POUR VOTRE SERVICE ?

OÙ SONT LES TOILETTES S'IL VOUS PLAÎT ?

LES TOILETTES ?!

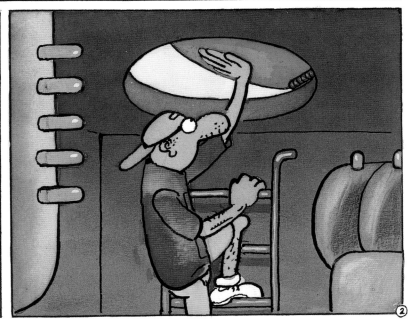

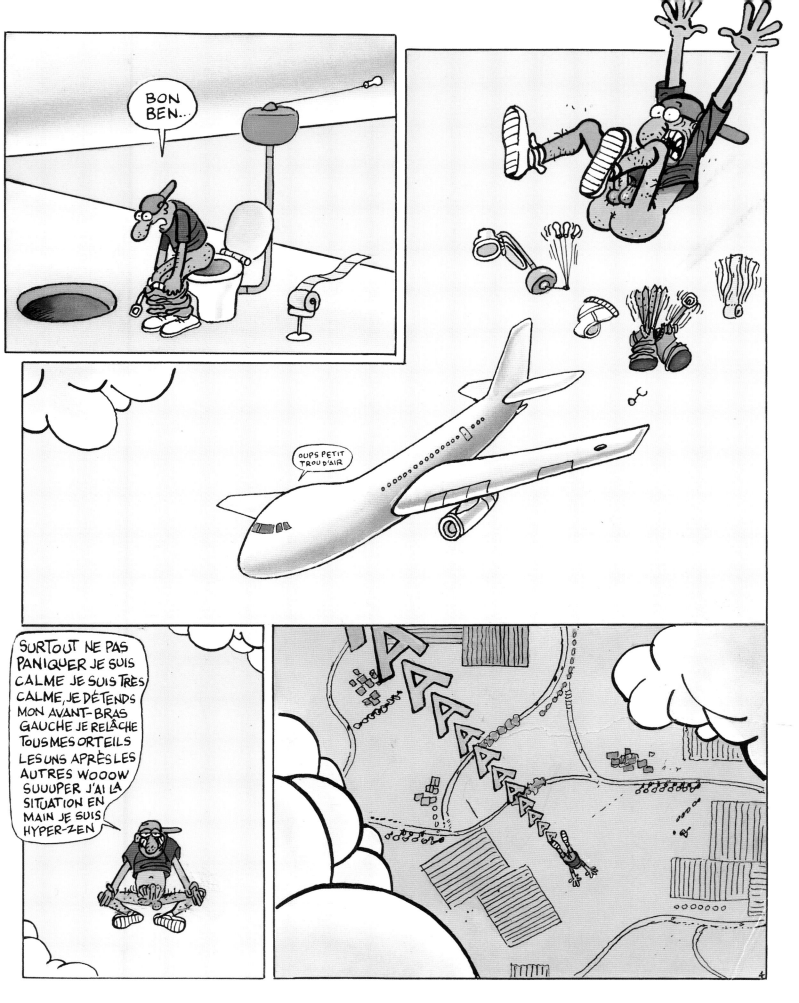

42

EH!

WÈÈÈL BI-BOP EULOU LEU-SHE'S MY BAYBEUH

AH! MON PORTABLE

ALLÔ OUI?.... PARDON? QUI C'EST QUI PARLE?... QUI? LE ?...NOUVEAU RÉDAC-CHEF? ET ALORS?... ÇA URGE? QU'EST-CE QUI URGE?

LES PAGES? ATTENDEZ MAIS ON SE CONNAÎT À PEINE

OUI MAIS ATTENDEZ

PARDON? LA PORTE? AH SINON C'EST LA PORTE? CALMEZ-VOUS CALMEZ-VOUS

LE PREMIER QUI DIT QUE J'IMITE MOEBIUS ET QUE JE SUIS INFLUENCÉ PAR SON ALBUM: "INSIDE MOEBIUS" TOME 5 - PAGES 38-39 PREND MON POING DANS LA GUEULE

VITE MON MINI-PARACHUTE QUE JE GARDE TOUJOURS DANS MA POCHE AU CAZOU*

BLOP

LÀ! MA TABLE À DESSIN!

OUF SAUVÉ

WAAAH! QUEL BONHEUR

*FAUTE D'ORTHOGRAPHE VOLONTAIRE POUR VOIR SI LA CORRECTEUSE FAIT BIEN SON BOULOT.

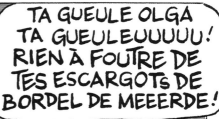

BRONSKY FINALEMENT J'AI TROUVÉ UNE BOÎTE ENTIÈRE D'ESCARGOTS DANS LE CONGÉLO, MAIS DIS-MOI, POUR LA CUISSON, EST-CE QU'IL FAUT METTRE LE BEURRE DANS LA CASSEROLE, EN DESSOUS, AU-DESSUS OU ENTRE ET À L'INTÉRIEUR DE CHAQUE ESCARGOT ?

EH BIEN N'EST-CE PAS, JUSTEMENT, J'AI TOUJOURS ÉTÉ TRACASSÉ PAR CETTE QUESTION. OR, QUE NOUS DISENT LES BASES DE LA PHILOSOPHIE GRÉCO-ORIENTALE PAR RAPPORT À L'IMMENSITÉ INFINIE DE L'UNIVERS COSMIQUE ?

TA GUEULE OLGA TA GUEULEUUUUU! RIEN À FOUTRE DE TES ESCARGOTS DE BORDEL DE MEEERDE!

PUTAIN MA CHUTE !

BOUHEUWOURGL

TIENS MAIS ?

AH MAIS BON SÛR MAIS C'EST BIEN SANG ! JE L'AI NOTÉE MA CHUTE SUIS-JE BÊTE JE L'AI MÊME DESSINÉE

HA-HA HA

BRONSKY, CLARKY A AVALÉ LES ESGARGOTS EN BUVANT UN FLACON DE LAIT DONT LA DATE LIMITE EST LE 29 AVRIL

ET ALORS ? C'EST PAS GRAVE Y A ENCORE LE TEMPS

OUI MAIS IL A AVALÉ LE FLACON AVEC

RLAAAAGT!!!

CRISE CARDIAQUE MADAME ?

NON, BANDE DESSINÉE FOUTUE PAR DES ESGARGOTS TROP BOUILLIS

VOUS ÊTES LIBRE CE SOIR ?

ÉDIKA

44

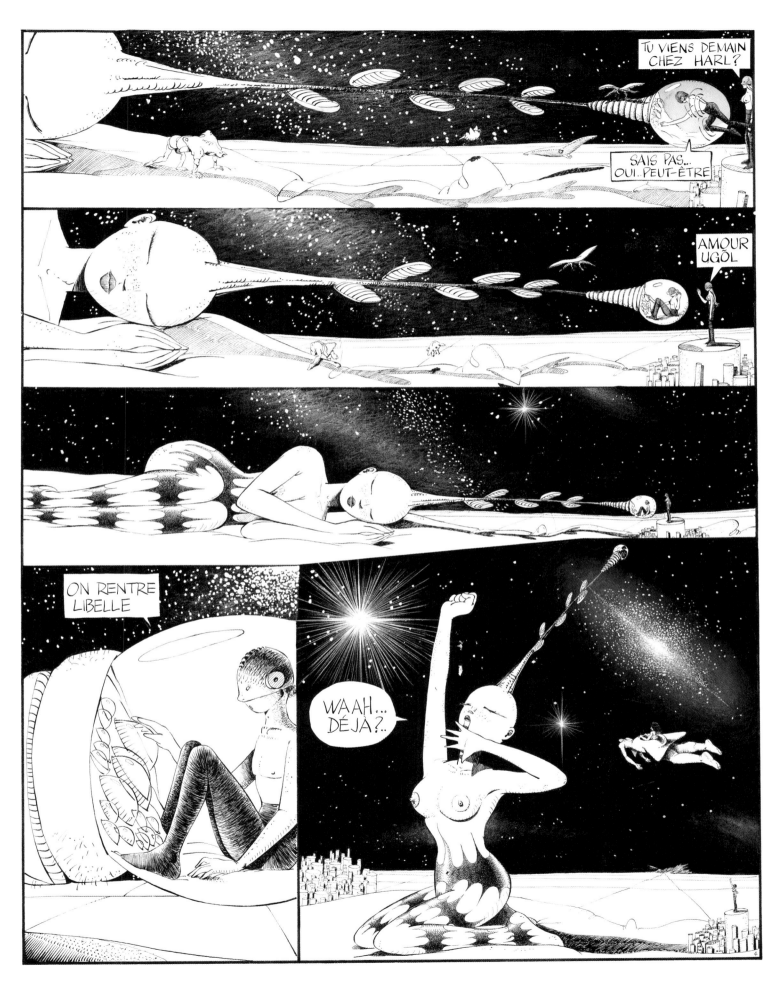

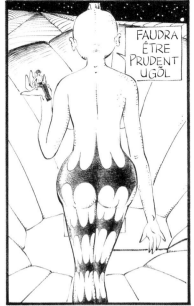

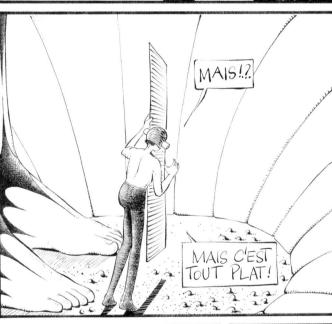

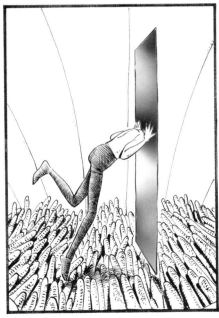

ÉDIKA

58

# LA CHORALE de ROCHEFORT DU GARD

TOUWW WOU-WOU WOUWOUWW

LAAA

ET ON N'OUBLIE PAS DE ME REGARDER

LAAA

EXCUSE-MOI DIEGO

QU'EST-CE QU'IL Y A GÉRALD ?

IMPOSSIBLE DE LIRE LA PARTITION ET DE TE REGARDER EN MÊME TEMPS

COMMENT ÇA ?

BEN OUAIS REGARDE QUAND JE BAISSE LES YEUX COMME ÇA SUR MA PARTOCHE POUR LIRE MA MUSIQUE J'ARRIVE PAS À TE REGARDER EN MÊME TEMPS J'AI BEAU ESSAYER RIEN À FAIRE, LE TEMPS QUE METTENT MES VERTÈBRES CERVICALES À RELEVER MA TÊTE AU-DESSUS DE MA COMPOSITION MUSICALE AFIN DE SUIVRE LES MOUVEMENTS RYTHMIQUES DE TES BRAS Y A DÉJÀ UN DÉCALAGE ENTRE CE QUE JE LIS ET CE QUE JE VOIS

IMPOSSIBLE DE FAIRE DEUX CHOSES À LA FOIS

Toulouse

MAIS BIEN SÛR QUE SI REGARDE

?

AU BISTROT T'AS JAMAIS MATÉ UNE MEUF EN LISANT TON JOURNAL ?

HOLLALAAA LOIN DE MOI CES PENSÉES LIBIDINEUSES JE NE SUIS PAS DE CEUX-LÀ

OUAIS MAIS SUPPOSONS

HOLALAAA LES FEMMES NE ME DISENT ABSOLUMENT RIEN PAR CONTRE LES LESBIENNES...

OKAY JE LIS DONC MON JOURNAL ASSIS PEINARD À L'EXTÉRIEUR DU BISTROT UNE MEUF PASSE DEVANT MOI

OÙ ÇA ? Y A PAS D'MEUF

OUAIS MAIS SUPPOSONS

ET ALORS, SANS RELEVER LA TÊTE NI BAISSER LE JOURNAL JE DIRIGE SUBREPTICEMENT MON REGARD VERS LE SUJET DE MA CONVOITISE ET HOP LE TOUR EST JOUÉ NI VU NI CONNU J'T'EMBROUILLE

REGARDE-MOI BIEN

3

61